VÍA CRUCIS BÍBLICO

Selección, diseño y composición por:
P. Enrique Escribano

Segunda edición
Guayaquil, Ecuador, 15 de julio de 2020
Versión 3.1

Shoreless Lake Press

ISBN 978-1-953170-00-2

¿QUÉ ES EL VÍA CRUCIS?

"Vía Crucis" en latín significa "Camino de la Cruz"; se le llama también "Estaciones de la Cruz" y "Vía Dolorosa". Se trata de un camino de oración que busca adentrarnos en la Pasión de Nuestro Señor Jesucristo con una peregrinación espiritual a Tierra Santa.

El camino se representa con una serie de imágenes de la Pasión o "Estaciones" correspondientes a incidentes particulares que Jesús sufrió por nuestra salvación, desde el momento de su condena por Pilato hasta su muerte, y prolongada hasta su sepultura. En cada "estación" se hace una meditación o reflexión sobre ese incidente particular.

Varios santos, entre ellos San Alfonso María de Ligorio, doctor de la Iglesia, han escrito meditaciones para cada estación. También podemos añadir las nuestras. En este libro hemos recopilado ideas de varios autores, algunos de origen que nos es desconocido, otras de San Alfonso María de Ligorio y otras mías, intentando reunir las meditaciones que más puedan llegar al corazón de los fieles llamando a su conversión.

Existen versiones para niños que son más cortas y adaptadas con reflexiones para su mentalidad, como la de "Vía Crucis para niños" (ISBN 978-1-953170-01-9).

GUÍA PARA REZAR EL VÍA CRUCIS

Rezando en grupo ¿qué se reza en voz alta?

El que hace de monitor lleva la guía leyendo todo y los demás participan sólo cuando encuentren la letra *inclinada.*

Rezando en grupo ¿qué se canta?

Es tradición cantar una estrofa del canto llamado "*Stabat Mater*" mientras se camina de una estación a otra o, al menos, algún canto litúrgico apropiado a la Pasión.

¿Cuál es la postura más adecuada para rezar?

Lo más apropiado es ir caminando, deteniéndose en cada estación, para recordar el camino de Jesús al Calvario. Es por eso que las imágenes de la representación del Vía Crucis están en la pared, alrededor del templo.

Una vez que se llega a la estación puede hacerse todo de pie, o bien arrodillándose desde que se llega a la estación hasta el final de la lectura de la Biblia, permaneciendo de pie el resto.

VÍA CRUCIS

INICIO

«Se comienza frente al altar»

† *Por la señal de la Santa Cruz, de nuestros enemigos líbranos, Señor, Dios nuestro. En el nombre del Padre y del Hijo y del Espíritu Santo. Amén.*

V. Señor, que la meditación de tu Pasión y Muerte nos anime y ayude a tomar la cruz de cada día y seguirte, para un día resucitar contigo en la gloria.

R. Amén.

Señor mío Jesucristo, Dios y hombre verdadero, Creador, Padre y Redentor mío; por ser Vos quien sois, Bondad infinita, y porque os amo sobre todas las cosas, me pesa de todo corazón haberos ofendido; también me pesa porque podéis castigarme con las penas del infierno. Ayudado de vuestra divina gracia propongo firmemente nunca más pecar, confesarme, y cumplir la penitencia que me fuere impuesta. Amén.

«Se camina a la primera estación (I)»

PRIMERA ESTACIÓN
Jesús sentenciado a muerte

V. Te adoramos, Cristo, y te bendecimos.
R. Porque con tu Santa Cruz redimiste al mundo.

Lectura del Santo Evangelio según San Mateo

Mientras lo acusaban los sumos sacerdotes y los notables, no contestaba nada. Entonces le dice Pilato: ¿No oyes cuántos cargos presentan contra Ti?

Él no contestó una sola pregunta, de modo que el gobernador estaba muy extrañado.

Al ver Pilato que todo era inútil y que, al contrario, se estaba formando un tumulto tomó agua y se lavó las manos en presencia del pueblo diciendo: Soy inocente de esta sangre. ¡Allá vosotros!

Y el pueblo entero contestó: ¡Su sangre caiga sobre nosotros y sobre nuestros hijos!

Entonces les soltó a Barrabás, y a Jesús, después de azotarlo, lo entregó para que lo crucificaran (Mt 27, 12-14.24-26).

Reflexión

Señor, Tú eres asombroso: omnipotente y débil, santo y condenado. Llegó la hora de ocultar tu poder y santidad, la hora del poder de las tinieblas. A los milagros en favor de los hombres sucede lo inaudito: Dios ante un tribunal humano. Y de este juicio sales condenado a la última pena. Aquí ha venido a parar tu vida entera, tus milagros famosos, tu doctrina sublime, tu obra de transformación del mundo. "Todo lo hizo bien", decían las gentes sencillas, pero tu evangelio te ha creado enemigos: los que llamaste raza de víboras y sepulcros blanqueados. La envidia por tus triunfos, el dolor del prestigio perdido, la traición de uno de los tuyos y los pecados de todos los hombres han logrado de este débil Pilato tu condena. ¡Juzgar! Juzgar es algo serio desde ahora. No hay más que un tribunal de la justicia: el que has de establecer en tu última venida, Tú, condenado ahora injustamente.

Hasta entonces juzgar es ser juzgado, medir es ser medido con la misma medida. Por eso tu advertencia severa: "No juzguéis y no seréis juzgados", y tu ejemplo de perdón en la cruz, y tu excusa: "No saben lo que hacen". Pero los hombres juzgan y condenan a otros hombres. En todos vuelves Tú a ser condenado. Yo mismo tengo el juicio a flor de lengua y me equivoco. Hablo contra el que me hace sombra en la vida, contra el que no piensa como yo, contra el que me molesta, y en ellos te condeno a Ti mismo. Creo ser de los tuyos y aún no entiendo lo más básico de tu doctrina. En el fondo no soy más que un Pilato del presente.

Sin embargo, Tú nos enseñaste el camino correcto: "Sed misericordiosos como vuestro Padre es misericordioso".

«Momento de silencio»

Se reza: Padrenuestro, Avemaría, Gloria

«Se camina a la segunda estación (II)»

SEGUNDA ESTACIÓN
Jesús es cargado con la cruz

V. Te adoramos, Cristo, y te bendecimos.
R. Porque con tu Santa Cruz redimiste al mundo.

Lectura del Santo Evangelio según San Juan

Entonces Pilato se lo entregó para que lo crucificaran. Tomaron a Jesús y Él, cargando con la cruz, salió al sitio llamado "de la Calavera" (que en hebreo se dice Gólgota), donde lo crucificaron, y con Él a otros dos, uno a cada lado, y en medio a Jesús (Jn 19, 16-18).

Reflexión

Tú eres la vida, la verdad y el camino hacia el Padre. Tú nos has allanado este camino difícil del dolor.

Es ley de tu evangelio: para llegar al Padre, a la gloria, tenemos que cargar con la cruz y seguir en pos de Ti: sólo a este precio se puede ser tu discípulo.

Pero andamos errantes, como ovejas descarriadas, buscando tu cielo por caminos extraños: nos gusta el confort, el bienestar y el dinero, regalar nuestro gusto en el comer, divertirnos como locos, gozar de la vida y librarnos de todo compromiso que nos exija esfuerzo. Nos molesta que nos pruebes.

Pero procediendo de este modo, nos apartamos de Ti y te ofendemos. En el fondo, Señor, detrás de todos y cada uno de nuestros pecados está el rechazo de tu Cruz, el miedo a sufrir, el afán de caminar por la senda ancha y espaciosa que lleva a la perdición. Porque andamos como enemigos de tu Cruz, nuestro dios muchas veces es el vientre y nuestras glorias y éxitos, cosas que realmente son vergonzosas: la conquista de un amor prohibido, la experiencia de un rato de placer, la concesión a la pereza, la aceptación de un dinero poco limpio, el rechazo de tus sacramentos...

La explicación la das Tú mismo: Mis caminos no son vuestros caminos.

Señor, para las cruces pesadas de la vida, nos hace falta el arranque de tu apóstol Tomás: "Vamos también nosotros y muramos con Él".

«Momento de silencio»

Se reza: Padrenuestro, Avemaría, Gloria

«Se camina a la tercera estación (III)»

TERCERA ESTACIÓN
Jesús cae la primera vez debajo de la cruz

V. Te adoramos, Cristo, y te bendecimos.
R. Porque con tu Santa Cruz redimiste al mundo.

Lectura de la primera carta del Apóstol San Pedro

Cristo padeció su pasión por vosotros, dejándoos un ejemplo para que sigáis sus huellas.

El no cometió pecado, ni encontraron engaño en su boca; cuando lo insultaban, no devolvía el insulto; en su pasión no profería amenazas; al contrario, se ponía en manos del que juzga justamente.

Cargado con nuestros pecados subió al leño, para que, muertos al pecado, vivamos para la justicia. Sus heridas os han curado.

Andabais descarriados como ovejas, pero ahora habéis vuelto al pastor y guardián de vuestras vidas (1 Pe 2, 21-25).

Reflexión

Ante el suceso grande de tu muerte corro el peligro de quitarle importancia a una caída, pero, si pienso bien quién eres, me aterro de verte a Ti, mi Dios, caído en tierra, entre enemigos y curiosos, entre burlas y desprecios. No es extraño que sea fuerte la prueba de los tuyos, y vaguen como rebaño errante, al verte herido a Ti, su Buen Pastor, caído en tierra y próximo a la muerte.

Tu primera caída me trae a la memoria la primera caída del hombre en el pecado. Cayó Adán y con él todos los hombres: fue el gran fracaso de la creación entera. Después todos tuvimos la primera caída, la que nos hizo huir de la casa paterna, la que nos hizo inútil tu pasión y tu muerte: fue la ofensa de un hermano, imagen tuya, un placer desmedido de nuestra propia carne, el no creer en Ti mismo y en tu Iglesia, el habernos apropiado de los bienes ajenos, la envidia y guerra sorda a un enemigo.

Nos viste caídos, y el amor te impulsó a la gran aventura de hacerte como todos nosotros: sometido al dolor, la tristeza y la muerte. Y ahora Tú, el sin-pecado, pasas por culpable. Por eso estás en tierra como víctima del mundo, como expiación por los pecados de todos, pero, cayendo, a todos nos levantas. Y yo, también caído, como nuevo hijo pródigo, sacaré de tu gracia la fuerza de vencer y diré: “Me levantaré y volveré a mi Padre”.

«Momento de silencio»

Se reza: Padrenuestro, Avemaría, Gloria

«Se camina a la cuarta estación (IV)»

CUARTA ESTACIÓN
Jesús encuentra a su afligida madre

V. Te adoramos, Cristo, y te bendecimos.
R. Porque con tu Santa Cruz redimiste al mundo.

Lectura del libro de las Lamentaciones

Oh vosotros, todos los que pasáis por el camino, mirad y ved si hay dolor semejante al dolor con que soy atormentada, con que el Señor me ha herido...

Por eso lloro y manan lágrimas de mis ojos, porque está lejos de mí el consolador que reanime mi alma...

¿A quién te compararé? ¿A quién te asemejaré, hija de Jerusalén? ¿Quién te podrá salvar y consolar, oh virgen, hija de Sión? Grande como el mar es tu quebranto (Lam 1, 12.16; 2, 13).

Reflexión

¡Dolor de María por Jesús! ¡Dolor de las madres por sus hijos! ¿Por qué no pensar hoy en las tragedias familiares que suceden en cualquier casa o calle de las nuestras? Si Dios no perdona a los mejores, a su Hijo, a su Madre, debe ser porque el dolor tiene un sentido. Todo el mundo está lleno de tragedias: rebelarse no es cristiano, resignarse sin más es sólo humano. En este valle de lágrimas, en la calle de amargura, en el dolor, si das un paso, te encontrarás con Cristo que te invita: "Venid a Mí los fatigados y agobiados".

Encontrarse con tu Madre en el camino de la

vida, y ¡la vida está tan llena de cruces!, es el único modo de dulcificar el dolor, la enfermedad, la soledad, la ingratitud, el paso de los años y la propia miseria moral.

Encontrarse con tu Madre es encontrarse con el Consuelo de los afligidos, con el Refugio de los pecadores, con el Auxilio de los cristianos. Es imposible llevar la cruz sin encontrarse con María: esta es la lección que nos dejas Tú, Señor. Que no despreciemos, Señor, la invalorable ternura de tu Madre. Después de esta escena, ¿quién querrá cargar su cruz y seguir a Jesús sin la ayuda de María?

Fue ya una preparación para nuestros sufrimientos que San Juan nos recordara que "junto a la cruz de Jesús, estaba su madre".

«Momento de silencio»

Se reza: Padrenuestro, Avemaría, Gloria

«Se camina a la quinta estación (V)»

QUINTA ESTACIÓN
Simón ayuda a Jesús a llevar la cruz

V. Te adoramos, Cristo, y te bendecimos.
R. Porque con tu Santa Cruz redimiste al mundo.

Lectura del Santo Evangelio según San Marcos.

Terminada la burla, le quitaron la púrpura y le pusieron su ropa. Y lo sacaron para crucificarlo.

Y a uno que pasaba, Simón de Cirene, que volvía del campo, el padre de Alejandro y de Rufo, lo fuerzan a que le lleve la cruz.

Y lo llevaron al Gólgota, que quiere decir lugar de "la Calavera" (Mc 15, 20-22).

Reflexión

La cruz ha sido siempre un símbolo de amor: en tu cruz nos amaste hasta el extremo, en la nuestra completamos lo que falta a la tuya dentro de tu cuerpo, la Iglesia; y ayudando a los hermanos, como Simón de Cirene, colaboramos en tu grandiosa empresa.

En cada vida humana se recorre el camino de un calvario: aquí debemos ser nosotros cireneos. Amar, animar, ayudar, vivir para el problema de los otros, sabiendo que, al llevarles su cruz, es la tuya la que llevamos al Calvario.

Ayudar al que no puede moverse, al que vacila en su fe, a los millones de hombres que se mueren de hambre, al que busca un empleo, a los padres y a los hijos en casa, al que nos pide un favor, al que está desesperado de la vida, al pobre, al triste, al fracasado.

A veces, la cruz nos llega a la fuerza, queramos o no, como le pasó a Simón de Cirene, como nos pasa a nosotros cuando nos llega una enfermedad, una desgracia... Hemos de saber llevar esa cruz, porque es la tuya la que cargamos y podemos alegrarnos al saber que con ello te aliviamos de un gran peso.

En todos y en todo eres Tú quien nos tiendes "el yugo suave y la carga ligera" de tu cruz.

«Momento de silencio»

Se reza: Padrenuestro, Avemaría, Gloria

«Se camina a la sexta estación (VI)»

SEXTA ESTACIÓN
La Verónica limpia el rostro de Jesús

V. Te adoramos, Cristo, y te bendecimos.
R. Porque con tu Santa Cruz redimiste al mundo.

Lectura del profeta Isaías.

Así como se asombraron de Él muchos, pues tan desfigurado tenía el aspecto que no parecía hombre, ni su apariencia era humana, otro tanto se admirarán de Él muchas naciones.

Lo vimos sin aspecto atrayente, despreciado y evitado de los hombres, como un hombre de dolores, acostumbrado a sufrimientos, ante el cual se ocultan los rostros, despreciado y desestimado.

Él soportó nuestros sufrimientos y aguantó nuestros dolores; nosotros lo estimamos leproso, herido de Dios y humillado, traspasado por nuestras rebeliones, triturado por nuestros crímenes.

Nuestro castigo saludable vino sobre Él, sus cicatrices nos curaron (Is 52, 14; 53, 3-5).

Reflexión

No es nada fácil aprender la lección que nos da la Verónica.

Somos hombres de técnicas, de políticas y de formas sociales; nos gusta quedar bien con todos, y hasta contigo queremos usar la misma táctica.

Nos hacemos un evangelio a la medida, pero ya no es el tuyo: el que habla de seguirte hasta la cruz, de quererte a Ti más que al padre o a la hija o al hermano, de aborrecer la vida en este mundo, de no poder servir a dos señores.

Nos cuesta comprometernos a posturas difíciles: no es nada cómodo dar la cara por Ti. Destruir en mi vida el doble juego entre mi conducta privada y mis apariencias externas. Hasta me llego a avergonzar de manifestarme ante los demás de ser discípulo tuyo, sabedor de que Tú te avergonzarás de mí ante el Padre.

Pero afrontar todo esto me crearía muchos problemas en esta decadente sociedad de las formas. ¡Y me olvido de Ti, que por cambiar el mundo en tres años te jugaste la vida por mí!

No hay lugar para la mediocridad, la doble vida o la tibieza. Tu vida y tus palabras fueron claras: "Quien no está conmigo está contra Mí, y quien no recoge conmigo desparrama".

«Momento de silencio»

Se reza: Padrenuestro, Avemaría, Gloria

«Se camina a la séptima estación (VII)»

SÉPTIMA ESTACIÓN
Jesús cae la segunda vez con la cruz

V. Te adoramos, Cristo, y te bendecimos.
R. Porque con tu Santa Cruz redimiste al mundo.

Lectura del profeta Isaías:

El Señor Dios me ha abierto el oído; y yo no me he rebelado, ni me he echado atrás. Ofrecí la espalda a los que golpeaban, la mejilla a los que mesaban mi barba. No oculté el rostro a insultos y salivazos. Mi Señor me ayudaba, por eso no quedaba confundido, por eso ofrecí el rostro como pedernal, y sé que no quedaré avergonzado (Is 50, 5-7).

Reflexión

Tu caída nos recuerda el pecado. Caer y levantarse es ley del hombre. No comprendemos la malicia y rebeldía del pecado, tu enemigo primero, por el que vas a la muerte.

Por eso pecamos, te ofendemos sin consideración de número, entre risas y juergas, hasta saciar nuestro ávido egoísmo. Vivimos en un mundo que pierde cada día el sentido del pecado. Los hombres se esfuerzan en borrar las fronteras que trazaste al mal y al bien. Ya no sienten el vacío al ofenderte, porque no eres Tú quien llena su existencia.

Pecamos de egoísmo, desaliento y falsedad; de rebeldía y sensualismo. Nos alejamos de tu Iglesia, y buscamos edificar lejos de Ti un mundo nuevo, con mitos o ideales que nos hagan felices.

Pecamos por hacer lo que prohíbes y por no

hacer lo que mandas.

Pecamos por instigar a otros a ofenderte: la invitación al mal, al escándalo, que se ofrece bajo formas de moda y de progreso, pero olvidan tu terrible amenaza: "Más les valiera arrojarlos con una piedra al mar".

Así, pecamos cada día, y al pecar te crucificamos de nuevo. Pero es designio tuyo que la tentación pruebe a los hombres.

Para el camino sembrado de peligros, con el alma dolorida, te pedimos como Tú nos enseñaste: "No nos dejes caer en la tentación".

«Momento de silencio»

Se reza: Padrenuestro, Avemaría, Gloria

«Se camina a la octava estación (VIII)»

OCTAVA ESTACIÓN
Las mujeres de Jerusalén lloran por Jesús

V. Te adoramos, Cristo, y te bendecimos.
R. Porque con tu Santa Cruz redimiste al mundo.

Lectura del Santo Evangelio según San Lucas:

Lo seguía un gran gentío del pueblo, y de mujeres que se daban golpes y lanzaban lamentos por Él.

Jesús se volvió a ellas y les dijo: Hijas de Jerusalén, no lloréis por Mí; llorad por vosotras y por vuestros hijos, porque mirad que llegará el día en que dirán: "Dichosas las estériles y los vientres que no dan a luz, y los pechos que no han criado". Entonces empezarán a decirles a los montes: "Desplomaos sobre nosotros", y a las colinas: "Sepultadnos"; porque si así tratan al leño verde, ¿qué pasará con el seco? (Lc 23, 27-31).

Reflexión

Llorar es algo propio de nuestro ser humano. Lloramos de rabia, de dolor, de tristeza y a veces de alegría.

Tú mismo, partícipe de nuestra débil carne, lloraste por Lázaro, tu gran amigo, y por los habitantes de Jerusalén, a quienes quisiste cuidar como una gallina a sus polluelos bajo sus alas.

Bueno es que lloremos hoy la injusticia de tu muerte, pero Tú nos invitas a llorar de otro modo; nacemos de la tierra y, aunque quieres elevarnos desde este mundo nuestro al reino tuyo, seguimos inclinados a la tierra, sin lograr dar el fruto que esperas de nosotros.

Somos árboles secos, que sirven para el fuego. Por eso prefieres que lloremos por nosotros: llorar es arrepentirme del pecado, llorar es hacer justa penitencia, llorar es convertirme de mis culpas a tu gracia, llorar es dar fruto de buenas obras, llorar es suprimir lo que de Ti me aleja, aunque sea mi ojo, mi brazo o mi pie, aunque sea el dinero, el negocio, un ser querido.

El que prefiera todo esto antes que a Ti no es digno de seguirte ni de llamarse cristiano. Hoy lloramos públicamente nuestras culpas; que se cumpla en nosotros tu palabra: "Dichosos los que lloran, porque ellos serán consolados".

«Momento de silencio»

Se reza: Padrenuestro, Aventaría, Gloria

«Se camina a la novena estación (IX)»

NOVENA ESTACIÓN
Jesús cae por tercera vez con la cruz

V. Te adoramos, Cristo, y te bendecimos.
R. Porque con tu Santa Cruz redimiste al mundo.

Lectura de la carta del apóstol San Pablo a los Filipenses:

Cristo, a pesar de su condición divina, no hizo alarde de su categoría de Dios; al contrario se despojó de su rango, y tomó la condición de esclavo, pasando por uno de tantos. Y así, actuando como un hombre cualquiera, se rebajó hasta someterse incluso a la muerte, y una muerte de cruz (Fil 2, 6-8).

Reflexión

El camino de la cruz, largo y penoso, te acerca ya a la cumbre, pero caes una tercera vez en tierra, abrazando este mundo que amaste hasta el extremo; y te ofreces al pie del monte en holocausto por los pecados de los hombres.

Eres hombre y te cuesta dar el paso hasta la muerte: angustiada tu alma y agotadas las fuerzas de tu cuerpo, te desplomas exánime: ya parece que todo aquí termina. Pero no. Esta caída es una espera; el camino concluye en el Calvario.

Tú, que le dijiste "Levántate" al paralítico de Cafarnaúm, al paralítico de la piscina de Jerusalén y al hijo de la viuda de Naim, e incluso levantaste con tus manos a la hija de Jairo, ahora nadie te ayuda a levantarte.

Paralelo al camino de tu cruz, recorremos nosotros un camino contrario: el de la gloria, del placer, del buen vivir y las riquezas; aquí caemos todos tres, cien veces, en la estación del pecado.

Por eso tu tercera caída me reprocha mi pecado más reciente, el que Tú y yo bien conocemos, el que ayer cometí o esta mañana o ahora mismo, el que cometo a todas horas por costumbre, que me ha dejado en tierra, caído con la experiencia de un vacío, de un desengaño.

Por ello, debo repetir las palabras que el ciego de Jericó te dirigió: "¡Ten compasión de mí!".

«Momento de silencio»

Se reza: Padrenuestro, Avemaría, Gloria

«Se camina a la décima estación (X)»

DÉCIMA ESTACIÓN
Jesús es despojado de sus vestiduras

V. Te adoramos, Cristo, y te bendecimos.
R. Porque con tu Santa Cruz redimiste al mundo.

Lectura del Santo Evangelio según San Juan.

Los soldados, cuando crucificaron a Jesús, cogieron su ropa, haciendo cuatro partes, una para cada soldado, y apartaron la túnica. Era una túnica sin costuras, tejida toda de una pieza de arriba abajo.

Y se dijeron: No la rasguemos, sino echémosla a suertes a ver a quién le toca.

Así se cumplió la Escritura: "Se repartieron mis ropas y echaron a suerte mi túnica".

Esto hicieron los soldados (Jn 19, 23-24).

Reflexión

Ya has subido la cumbre del Calvario, la meta que te ha preparado la envidia de los hombres, o mejor, el designio de tu Padre.

Y Tú, que no tuviste ni choza ni cobijo, Tú que hiciste de los pobres y enfermos tus amigos, y lanzaste al mundo de los cómodos el gran reto de tus Bienaventuranzas, a la vez que predicas, cumples la difícil doctrina en tu persona.

Naciste pobre e ignorado; viviste de la generosidad de tus oyentes; pero todo ha quedado atrás, y en la cátedra suprema de tu cruz nos enseñas el ejemplo del despojo total: te quitan lo único que llevas, tus vestidos.

Dolor de tus heridas abiertas, afrenta de tu cuerpo desnudo, burla de tus enemigos triunfantes. Te veo, Señor, desnudo, despojado, y te comparo con los cristianos apegados a sus bienes: el hombre que roba a sus hermanos, el que no niega un placer a su carne, el avaro, el egoísta, la persona que expone su cuerpo sin pudor en las playas y reuniones, espectáculos y redes sociales, aquel que comparte y difunde imágenes y videos impuros, sin sentir vergüenza ninguna; pero que orgullosos de su honor y posición social, llenan todos los días tus iglesias, e incluso a veces, hasta se atreven a recibirte en la Sagrada Comunión: ¿Será posible que sean tus discípulos?

Hemos de creer en tus palabras: "Cualquiera de vosotros que no renuncia a todos sus bienes, no puede ser discípulo mío".

«Momento de silencio»

Se reza: Padrenuestro, Avemaría, Gloria

«Se camina a la undécima estación (XI)»

UNDÉCIMA ESTACIÓN
Jesús es clavado en la cruz

V. Te adoramos, Cristo, y te bendecimos.
R. Porque con tu Santa Cruz redimiste al mundo.

Lectura del Santo Evangelio según San Lucas.

Cuando llegaron al lugar llamado "la Calavera", lo crucificaron allí, a Él y a los malhechores, uno a la derecha y otro a la izquierda. Jesús decía: Padre, perdónalos, porque no saben lo que hacen...

El pueblo estaba mirando. Las autoridades le hacían muecas diciendo: A otros ha salvado; que se salve a Sí mismo, si Él es el Mesías de Dios, el Elegido.

Se burlaban de Él también los soldados, ofreciéndole vinagre y diciendo: Si eres Tú el rey de los judíos, sálvate a Ti mismo.

Había encima un letrero sobre Él: Éste es el rey de los judíos (Lc 23, 33-38).

Reflexión

Cuando levanto la mirada al que te clava en la cruz descubro con horror que soy yo mismo; que con mis pecados golpeo una y otra vez, sin piedad, esos clavos que atraviesan tu carne hasta la madera; cuando yo debería, en cambio, ser el crucificado.

Clamaba Pablo por la locura de la cruz: para el mundo necedad, para el cristiano salud. Siempre ha sido difícil a los hombres entender tu doctrina, que ha sido escándalo para los judíos y locura para los gentiles, haciéndolos incapaces de creer en un Dios crucificado. El cristiano de este siglo, a fuerza de vivir un cristianismo que sea aceptable por el mundo ha desvirtuado la fuerza de tu cruz hasta hacerla desaparecer.

No es fácil, Señor, ser tu discípulo en este mundo plagado de intereses: si me ofenden y me callo, me desprecian en casa; si no colaboro en un negocio sucio, se me burlan; si evito un placer fácil a mi carne, no soy hombre; si no me aprovecho de mi cargo, soy un tonto; si rezo, confieso y voy a Misa, un beato; si clamo contra las injusticias, me maldicen; si hablo de tu doctrina, se sonríen.

Me acecha la cruz por todas partes, y me siento tentado a ceder al desaliento porque temo a mi familia, la sociedad y los amigos. Tú me enseñas la constancia en el deber hasta la muerte, y sólo en la cruz seré reconocido por Ti como discípulo. El carácter cristiano es de una pieza: el que no está contigo, milita contra Ti. ¿Dónde están hoy los necios por Cristo, los que quieran sufrir el desprecio de este mundo? Nada puede parecernos humillante, después de verte a Ti crucificado.

Para ir en pos de Ti no hay otro camino que "negarse a sí mismo y tomar la cruz de cada día".

«Momento de silencio»

Se reza: Padrenuestro, Aventaría, Gloria

«Se camina a la duodécima estación (XII)»

DUODÉCIMA ESTACIÓN
Jesús muere en la cruz

V. Te adoramos, Cristo, y te bendecimos.
R. Porque con tu Santa Cruz redimiste al mundo.

Lectura del Santo Evangelio según San Mateo.

Desde el mediodía vinieron las tinieblas sobre toda aquella tierra hasta la media tarde. Y hacia la media tarde, Jesús exclamó con voz potente: Dios mío, Dios mío, ¿por qué me has abandonado?

En seguida uno fue corriendo, cogió una esponja empapada en vinagre y, sujetándola a una caña, le daba de beber... Y Jesús, gritando de nuevo con voz potente, exhaló el espíritu (Mt 27, 45-50).

Reflexión

Al verte así en la cruz, con la noble majestad de quien sabe triunfar de la muerte, comprendo que el morir para los hombres sólo tiene sentido si saben morir como Tú.

Morir ya no es el fin de una vida, tras la cual nada cabe esperar. Morir ya no es una aventura incierta, porque Tú nos precedes y vences la muerte con tu muerte.

Morir para el cristiano es pasar de este mundo a su Padre, anonadarse como Tú, para ser exaltado hasta la gloria; es coronar una vida de servicio a tu causa, pudiendo decir: todo está cumplido.

Has muerto por nosotros y nos mandas amarnos como Tú nos has amado.

Pero los hombres no pueden vivir juntos sin

odios, rencores o zancadillas: se persiguen, se explotan, se calumnian, suprimen los hijos indefensos que estorban, arrinconan o eliminan los ancianos que molestan, se desprecian, se roban, se engañan, venden por un capricho la vida divina que les diste. Ha sido más fuerte su egoísmo que tu amor hasta la muerte.

En la Santa Misa tengo la oportunidad de vivir este momento de tu muerte, de estar presente en el mismo y único sacrificio con el que nos conseguiste un camino de salvación, y sin embargo, lo poco que valoramos tu muerte. Asistimos a la Santa Misa llegando tarde, aburridos, distraídos, hasta con ganas de que termine. A veces, ni siquiera asistimos: Nos interesan más nuestros viajes y diversiones, nuestros amigos o quehaceres, porque nos interesa más nuestra vida que la tuya. ¿Cambiaremos eso?

Grandes recompensas nos ofreces: "Quien pierda la vida por Mí, ese la salvará".

«Momento de silencio»

Se reza: Padrenuestro, Avemaría, Gloria

«Se camina a la decimotercera estación (XIII)»

DECIMOTERCERA ESTACIÓN
Jesús es bajado de la cruz

V. Te adoramos, Cristo, y te bendecimos.
R. Porque con tu Santa Cruz redimiste al mundo.

Lectura del Santo Evangelio según San Juan:

Los judíos, como era el día de la Preparación, para que no se quedaran los cuerpos en la cruz el sábado, porque aquel sábado era un día solemne, pidieron a Pilato que les quebraran las piernas y que los quitaran. Fueron los soldados, le quebraron las piernas al primero y luego al otro que habían crucificado con él; pero al llegar a Jesús, viendo que ya había muerto, no le quebraron las piernas, sino que uno de los soldados con la lanza le traspasó el costado y al punto salió sangre y agua. Esto ocurrió para que se cumpliera la Escritura "No le quebrarán un hueso"; y en otro lugar la Escritura dice: "Mirarán al que atravesaron".

Después de esto, José de Arimatea, que era discípulo clandestino de Jesús, por miedo a los judíos, pidió a Pilato que le dejara llevarse el cuerpo de Jesús. Y Pilato lo autorizó. Él fue entonces y se llevó el cuerpo (Jn 19, 31-38).

Reflexión

Tu muerte, Señor, nos ha afligido a todos, como si a cada uno se nos hubiera muerto un ser querido. Tú tomaste nuestra carne en el seno de María, este cuerpo muerto que sostiene sus brazos. Tan grande como fue la alegría de engendrarte es ahora la pena de perderte. Tu Madre ha estado firme a tu lado en el momento supremo.

Virgen de Soledad y de Dolores, llena las soledades de tus nuevos hijos: la soledad de la Iglesia abandonada por sus hijos, la del que está triste, la del que deja el ser querido que se muere, la de los esposos que no se aman, la del recluso, la del que vive separado de los suyos, la de tantos enfermos olvidados, la de los hijos abandonados por sus padres, la de la joven desengañada en su amor, la de los ancianos e inválidos desamparados, y especialmente, la que proviene del pecado.

Los hombres viven solos y buscan el ruido y la diversión para olvidarlo: sólo Tú puedes saciar su exigente corazón.

No olvidemos tu promesa: "Yo estaré con ustedes todos los días hasta el final del mundo".

«Momento de silencio»

Se reza: Padrenuestro, Avemaría, Gloria

«Se camina a la decimocuarta estación (XIV)»

DECIMOCUARTA ESTACIÓN
Jesús colocado en el sepulcro

V. Te adoramos, Cristo, y te bendecimos.
R. Porque con tu Santa Cruz redimiste al mundo.

Lectura del Santo Evangelio según San Juan:

José de Arimatea fue y se llevó el cuerpo de Jesús. Llegó también Nicodemo, el que había ido a verle de noche, y trajo unas cien libras de mixtura de mirra y áloe. Tomaron el cuerpo de Jesús y lo vendaron todo, con los aromas, según se acostumbra a enterrar entre los judíos.

Había un huerto en el sitio donde lo crucificaron, y en el huerto un sepulcro nuevo, donde nadie había sido enterrado todavía. Y como para los judíos era el día de la Preparación, y el sepulcro estaba cerca, pusieron allí a Jesús (Jn 19, 38-42).

Reflexión

Yo sé que hay hombres que no saben o no creen que por ellos diste tu vida; hay hombres que nada esperan más allá del sepulcro y nada saben de tu reino glorioso; hay hombres que no aman a tu Padre, ni ven hermanos suyos en los hombres; y Tú quieres que todos te conozcan y sepan para qué están en la vida.

Pena me causan tus discípulos actuales cuando los veo instalados en su mundo, cuando creen en Ti con su razón, pero su fe no se traduce en actos, cuando no alientan en su vida la esperanza de una vida mejor.

Los veo nacer, crecer y vivir, acordarse de Ti cuando los pruebas, y olvidarte cuando todo les sonríe; molestos por los más mínimos detalles que les recuerdan el paso de los años: preocupados de su peso y de sus canas; de sus arrugas y del desgaste de sus miembros; embebidos en viajes y negocios; atentos al trabajo, la visita y la tertulia; cuidan su cuerpo con esmero y por lograr una figura esbelta se imponen sacrificios que no harían por Ti. Se sienten satisfechos en su mundo y sólo temen que los llames a tu gloria, porque temen la muerte y el sepulcro, como si fuera el fin de todo. Más de uno vendería la herencia de tu Cielo por el plato de lentejas que le ofrece esta tierra.

Pero nosotros aprendemos en tu entierro que no todo termina en el sepulcro. Por tu muerte de tres días, sabemos que la vida y nuestra muerte es una espera de la resurrección gloriosa.

Más aún, como Marta te dijo, sabemos que resucitaremos algún día, pero como Tú mismo le respondiste: "Yo soy la Resurrección y la Vida". Viniste para traernos Vida y "Vida en abundancia".

«Momento de silencio»

Se reza: Padrenuestro, Avemaría, Gloria

«Se camina frente al altar»

CONCLUSIÓN

Por las cinco llagas de Jesucristo:
Cinco: Padrenuestro, Avemaría y Gloria.

Por la intención del Santo Padre:
Un: Padrenuestro, Avemaría y Gloria.

† *En el nombre del Padre y del Hijo y del Espíritu Santo. Amén.*

«Fin»

HISTORIA DEL VÍA CRUCIS

La costumbre de rezar las Estaciones de la Cruz posiblemente comenzó en Jerusalén. Ciertos lugares de La Vía Dolorosa, aunque no se llamó así antes del siglo XVI, fueron reverentemente marcados desde los primeros siglos. Hacer allí las Estaciones de la Cruz se convirtió en la meta de muchos peregrinos desde la época del emperador Constantino en el siglo IV.

Muchos peregrinos no podían ir a Tierra Santa ya sea por la distancia y difíciles comunicaciones, ya sea por las invasiones de los musulmanes que por siglos dominaron esas tierras y perseguían a los cristianos. Así creció la necesidad de representar la Tierra Santa en otros lugares más asequibles e ir a ellos en peregrinación. En varios lugares de Europa se construyeron representaciones de los más importantes santuarios de Jerusalén. Las Estaciones tal como las conocemos hoy fueron aparentemente influenciadas por el libro llamado "*Jerusalem sicut Christi tempore floruit*" escrito por Adrichomius en 1584. En este libro, el Vía Crucis tiene doce estaciones y estas corresponden exactamente a nuestras primeras doce. Parece ser que el Vía Crucis, tal como lo conocemos hoy, surge de las representaciones procedentes de Europa.

Regulaciones actuales conceden indulgencia plenaria a los fieles cristianos que devotamente hacen las Estaciones de la Cruz.

Se puede rezar todo el año, pero éste es un rezo de muy especial devoción en el tiempo de cuaresma.

Ingram Content Group UK Ltd.
Milton Keynes UK
UKHW040105050423
419589UK00016B/248